FAIRY TAIL
60
HIRO MASHIMA

FAIRY TAIL
60
SOMMAIRE
OUI, JE SUIS D'ACCORD !
VOILÀ, C'EST LE SOMMAIRE !

CHAPITRE 510 : L'ESPRIT DE NATSU

GREY ET JUBIA VONT BIEN... MÊME S'ILS ONT ÉTÉ GRAVEMENT BLESSÉS...
JE VAIS RÉDUIRE AU MAXIMUM LA TAILLE DE LEURS PLAIES !
MERCI, BRANDISH...

JUBIA, ELLE, POURRA REMERCIER WENDY...

LE PROBLÈME, C'EST NATSU...
OUI...

AUCUN DE MES POUVOIRS...
NE PEUT ATTEINDRE LA BOULE QU'IL A EN LUI...
C'EST "QUELQUE CHOSE" QUI ME DÉPASSE...

...
IL A PU SE DÉPLACER DANS UN TEMPS FIGÉ, ET IL FAIT PREUVE D'UNE AGRESSI-VITÉ MEURTRIÈRE INCROYABLE...
JE NE PEUX ABSOLUMENT PAS LUTTER...

C'EST UN DÉMON...
JE NE VOIS PAS D'AUTRE DÉFINITION...

UN DÉMON...
E.N.D ...
NON ! VOUS VOUS TROMPEZ !

PFF... QU'EST-CE QUE TU SAIS DE LUI ?

FIGURE-TOI QUE J'EN SAIS BEAUCOUP PLUS QUE TOI !

PARFOIS, ON CROIT CONNAÎTRE LES GENS, ET UN JOUR...
ON DÉCOUVRE QU'ILS ONT PLUS D'AFFINITÉS AVEC L'ENNEMI QU'AVEC NOUS...
N'EST-CE PAS, BRANDISH ?
...

J'ADMETS QUE NATSU PEUT ÊTRE VIOLENT ET SE MONTRER ÉGOÏSTE, MAIS...
PAS DU TOUT !
ÉVIDEMMENT...
ELLE EST AMOUREUSE...
TU COMPRENDS ?
C'EST GRÂCE À NATSU QUE JE SUIS ENTRÉE DANS LA GUILDE...
ALORS...

JE RESTE PERSUADÉE QU'IL EST FRANC, SANS DOUBLE FACE...

FSHUUUU
!!

C'EST QUOI, ÇA ?!
DE LA FUMÉE S'ÉCHAPPE DE SON CORPS...
NATSU !
CETTE BOULE EN LUI, ELLE...
MAIS... NATSU...

IL EST FROID...
POF

NATSU !
JE T'EN PRIE ! RÉVEILLE-TOI !

NATSU...

JE SUIS OÙ, ICI ?
...

OUI, C'EST MOI...
IL Y A QUELQU'UN ?
HEIN ?

ZELEPH
...

GRR

DU CALME... ON EST DANS TON ESPRIT, LÀ !

FAIS-MOI PLAISIR, ICI, APPELLE-MOI "GRAND FRÈRE"...
ON EST DANS MON ESPRIT ?
LÀ, TU RÊVES...
FSHT
BOM
...
ARRÊTE... JE N'AI PAS DE CONSISTANCE...

JE SUIS AU REGRET DE TE DIRE QUE TU ES SUR LE POINT DE MOURIR...
ALORS, JE SUIS VENU COMBLER TES TROUS DE MÉMOIRE...

LES SOUVENIRS QUI PRÉCÈDENT L'ANNÉE X777 OÙ TU T'ES RÉVEILLÉ...
J'ÉTAIS AVEC IGNIR...
AVANT CELA...
HEIN ?

!
ボッ
PFOOOOOO

ON VIVAIT ENSEMBLE DANS UN PETIT VILLAGE EN PAIX...

EUX, CE SONT NOS PARENTS...

...

CE JOUR-LÀ, LE VILLAGE A ÉTÉ DÉTRUIT PAR UNE ATTAQUE DE DRAGON...

PAPA, MAMAN... ET TOI...
VOUS AVEZ PERDU LA VIE...

...

MAIS APRÈS DE LONGUES RECHERCHES, JE SUIS PARVENU À TE RESSUSCITER...
EN TANT QUE DERNIER DÉMON, E.N.D...

JE T'AI DÉJÀ PARLÉ DE CETTE PÉRIODE-LÀ...
ENSUITE, JE T'AI CONFIÉ À IGNIR...

ET C'EST À PARTIR DE LÀ QUE TES SOUVENIRS DOIVENT ÊTRE VAGUES...
FOO
PEUT-ÊTRE UNE CONSÉ-QUENCE DE LA TECHNIQUE DE L'ÂME DU DRAGON...

TU AS RENCONTRÉ GAJIL ET LES AUTRES...
FOO
!

D'AILLEURS, LUI ET TOI, VOUS VOUS DISPUTIEZ TOUT LE TEMPS...

ET WENDY, QUI TENTAIT DE VOUS SÉPARER, FINIS-SAIT TOUJOURS PAR PLEURER !

PLUS TARD, "CETTE FILLE" RENCONTRERA PROBABLEMENT WENDY...
J'ESPÈRE QUE, CETTE FOIS, ELLES S'ENTENDRONT BIEN...

STING ET ROG, QUI AVAIENT À PEU PRÈS LE MÊME ÂGE QUE WENDY...
TE COACHAIENT UN PEU COMME DES GRANDS FRÈRES...

!
NOUS, PLUSIEURS FOIS PAR AN, ON PARTICIPAIT À LA RÉUNION OÙ SE RASSEMBLAIENT LES PARENTS DRAGONS...

STING !
CELA DIT, ON N'EN A AUCUN SOUVENIR...

OÙ EST ZELEPH ?
JE TE RAPPELLE QU'ON EST DANS TON ESPRIT... C'EST TA CONSCIENCE QUI A EFFACÉ ZELEPH...
JE PIGE QUE DALLE...
SUIS-MOI... TU TROUVERAS SÛREMENT LA RÉPONSE QUE TU CHERCHES...
HEIN ?

LA VÉRITÉ SUR CE QUI SE TROUVE DANS TON CORPS !
TAP

ON A PU ARRIVER JUSQU'ICI GRÂCE À FRIED, MAIS...
JE VAIS CHERCHER LUXUS !
BYE !
LECTER, ROG... OÙ ÊTES-VOUS ?
!
CETTE ODEUR...

YUKI... NO...

YUKINO...
UUH...

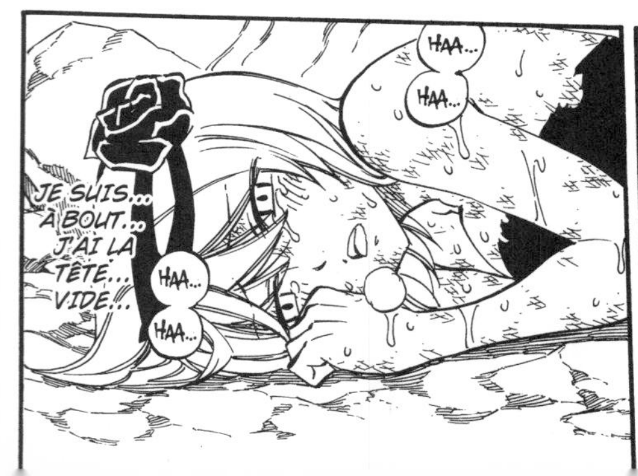
HAA...
HAA...
JE SUIS... À BOUT... J'AI LA TÊTE... VIDE...
HAA...
HAA...

STING...
À L'AIDE !

À... L'AIDE...

FSHT

ME VOILÀ !
BLAM

STING...
STING !
YEAH !
J'AI L'IMPRESSION QUE TU T'ES BIEN OCCUPÉ DES MEMBRES DE NOTRE GUILDE...
ALLONS BON... ENCORE UN IMBÉCILE QUI OSE SE METTRE SUR MA ROUTE...

VLAM
FSHHHHH
C'EST ÇA, TON ATTAQUE ? C'EST UNE BLAGUE ?
TIIIING

STING ! ATTENTION ! CE COUP EST...
!!
FSHUUUUUUUUU

GROM

!
CROUNCH
CROUNCH
HM... CE TRUC A UN DRÔLE DE GOÛT...
CROUNCH
MAIS C'EST PLUTÔT BON...
PFFF
CE QUI EST BLANC N'A AUCUN EFFET SUR MOI...

C'EST NORMAL, JE SUIS LE CHASSEUR DU DRAGON BLANC !
DOOOM
...
TOI, TU NE ME PLAIS PAS...
TU AS LA MÊME ODEUR QUE NATSU...

CHAPITRE 511 :
L'ENFER DE LA FAIM

QUI ES-TU ?
COMMENT SE FAIT-IL QUE TU AIES LA MÊME ODEUR QUE NATSU ?

PARCE QU'IL A EN LUI DES ÉLÉMENTS DE DRAGNIR !

EN RÉALITÉ, NATSU EST LE JEUNE FRÈRE DE ZELEPH...
ET LUI, C'EST LE FILS DE ZELEPH...

HEIN ?
JE NE COMPRENDS RIEN...

MOI NON PLUS...

SI CE QUE VOUS ME DITES EST VRAI...
CE N'EST PAS NORMAL QU'IL AIT CETTE ODEUR-LÀ...
CELLE DE ZELEPH, J'AURAIS PU COMPRENDRE...
MAIS NATSU ET ZELEPH N'ONT PAS LA MÊME ODEUR...

...
CHACUN A SA PROPRE ODEUR, MÊME ENTRE FRÈRES, ENTRE PÈRE ET FILS...
POURTANT, LUI, IL A LA MÊME QUE NATSU...

C'EST SIMPLE : D'UNE CERTAINE MANIÈRE, NATSU EST AUSSI LE FILS DE ZELEPH...
PAF
!
BAM
BAM
BAM
BAM
BAM

ぐぱぱぱぱ
GROOOOOOM
!!
CROUNCH
CROUNCH
CROUNCH
CROUNCH
CROUNCH
JE TE L'AI DIT !
TOUT CE QUI EST BLANC, COMME LA LUMIÈRE, N'A AUCUN EFFET SUR MOI !

RAYON SACRÉ !
BOM
BOM
BOM
BOM
BOM
BOM

DOM
DOM
DOM
DOM
DOM
DOM
UUH !
BAM
!!
COMÈTE SACRÉE !
DOOOM
ARGH !

FSHHH
TU ES UN ADVERSAIRE PEU COMMODE...
MAIS...
ÂME DU REPAS INTERDIT !
FSHAAA
!
AH...
GROOOOOOOOOORG
STING !
TU NE RÉSISTERAS PAS À LA FAIM !

VOOOOOM
GROOOOOOOOOOOOOOOOOOOOOORG
GROO
AH...
JE...
JE N'AI PLUS... DE FORCE...
FSHHHHHHHH
OUTCH !
BLAM

STING !
STING !
LECTER...
STING !

STING !
POF
POF
BOM
ÇA A L'AIR BON, ÇA...
GROOOOOOOOO
STING ! REPRENDS-TOI !
GROOOOO
GRO
QU'EST-CE QUI T'ARRIVE ?!
TU AS UN REGARD TRÈS INQUIÉTANT...

HAA...
HAA...
HAA...
HAA...
HAA...
ALLEZ... RÉGALE-TOI...

がぶっ
CROC
ARRÊTE, STING ! C'EST MOI !
LECTER !
DE LA VIANDE !
JE VEUX DE LA VIANDE !

RÉVEILLE-TOI !
YUKINO !
CROC

JE... J'AI TROP FAIM...
C'EST INSUPPORTABLE...
YUKINO...
CROC
AH...

LES HOMMES...
DÉBORDENT DE DÉSIRS...

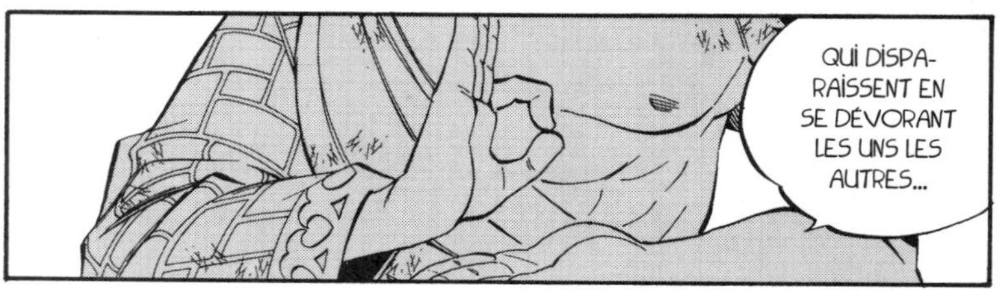
QUI DISPA-RAISSENT EN SE DÉVORANT LES UNS LES AUTRES...

GROOOOOOOOO
GROOOOO

MOI AUSSI, J'AI TRÈS FAIM, MAIS JE VEUX MANGER AVEC ROG, ALORS JE ME RETIENS...
GROOOOOOOOO
GROOOOOOOOO
GROOOOOOO

...

!!
RAAAH !
ばッ
BAM
J'AI LE VENTRE CREUX, MAIS... POUR TOI, STING...
DÉSOLÉ, LECTER !
ガッ
BLAM
OUTCH !
PARDON AUSSI KAGURA ET YUKINO !
ガッ
BAM
BAM
ET FROSH !
ガッ
BAM
AAH...
HAA...
HAA...
HAA...

C'ÉTAIT LE SEUL MOYEN POUR QU'ILS OUBLIENT LEUR FAIM...
GROOOOO
BRAVO...
MAIS COMMENT VAS-TU GÉRER LA TIENNE ?
JE VAIS TE BOUFFER !
DOOM
VIUM
FSH
AAH !
BLAM

AVOIR LE VENTRE VIDE T'AFFAIBLIT...
PEU IMPORTE, JE VAIS...
PEINE PERDUE...
BLAM
OUTCH !
JE SUIS LE MAÎTRE DE SABER TOOTH !
JAMAIS ENTENDU PARLER DE CETTE GUILDE...

TCHAC

SI TU N'ES MÊME PAS DE FAIRY TAIL, TU NE DEVRAIS PAS TE MÊLER DE CES AFFAIRES-LÀ...

ERREUR... ÇA CONCERNE FAIRY TAIL ET C'EST POUR ÇA QUE JE M'EN MÊLE...
GHHHH

CLANG
CETTE GUILDE NOUS A RADICALEMENT CHANGÉS...

C'EST POUR NATSU QUE JE FAIS ÇA !
PARCE QUE JE ME SUIS PROMIS DE LE TUER !
ALORS TU PEUX ÊTRE RASSURÉ : SON ÂME SERA BIENTÔT LIBÉRÉE...
BAM
PSHH
ROG ?!
LE TERRITOIRE DE MINERVA ?!

DÉSOLÉ, MAIS JE N'AI PLUS DE FORCE, MOI NON PLUS...
C'EST LE TERRITOIRE DE MINERVA...
ALORS MANGE-MOI !
ROG...
MAIS ENFIN...
!
QUE, MOI, J'AVALE LA MAGIE D'UN AUTRE MAGE...
!
TU AS FAIM, NON ?!
FSHHHHHHHH
DANS CE CAS, PRENDS CE QU'IL ME RESTE DE MAGIE...

FUUUUUUUU
PAS LE CHOIX !
LES HOMMES SONT SOUMIS À TROIS DÉSIRS... LE SEXE, LA FAIM, ET LE SOMMEIL...
CROUNCH
CROUNCH
CROUNCH
JE VAIS TE SOUMETTRE AU DERNIER...
MAIS CE SERA UN SOMMEIL SANS RETOUR, ÉTERNEL...

TU PARLES TROP ! LA FERME !
DOOOM
SBAM
JE N'AIME VRAIMENT PAS TON ODEUR !
ET MOI, C'EST LA PRÉSENCE DE MOUCHERONS COMME TOI QUI ME DÉRANGE...

ROG ! J'EMPRUNTE TA FORCE !

DOOOOM

VAS-Y, DRAGON BLANC...

JE COMMENCE À ÊTRE CHAUD !
DOM
TU VAS DÉCOUVRIR R.I.P., L'IRRÉSISTIBLE DÉSIR MALÉFIQUE...
DOM
DOM

FAIRY TAIL

CHAPITRE 512 : STING, LE DRAGON DE L'OMBRE BLANCHE

BOOOM
OM
BOM
BOM
BOM
BOM
BOM

BSHOO
FSHOO
LA MAGIE BLANCHE ÉQUILIBRE LA PUISSANCE DE STING...
IL A DISPARU...
OUTCH !
ET L'OMBRE DE ROG VA TE DÉTRUIRE !
BLAM

ET LORSQUE NOS DEUX POUVOIRS SONT RÉUNIS, VOUS POUVEZ ÊTRE AUSSI NOMBREUX QUE VOUS LE VOULEZ...
BROOOOOM
À LA FIN, VOUS NE RÉSISTEREZ PAS...
FSHOOOO

AU SOMMEIL ÉTERNEL !
WOOOOO
R.I.P. !

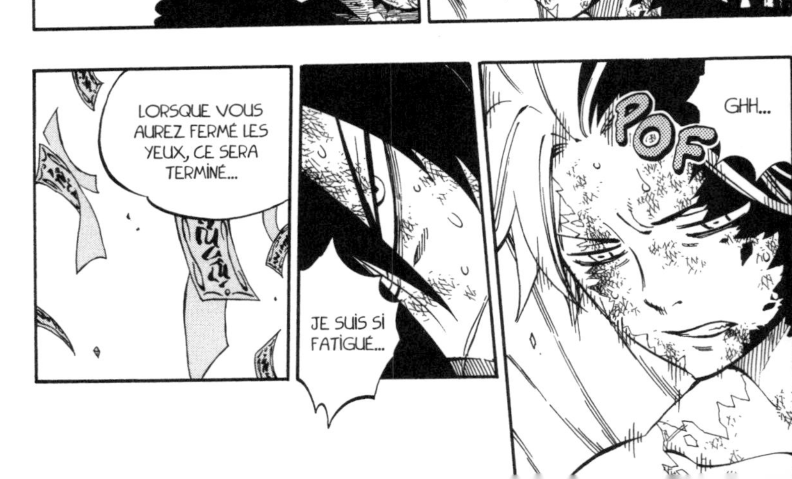
!
MAIS...
GHH...
POF
JE SUIS SI FATIGUÉ...
LORSQUE VOUS AUREZ FERMÉ LES YEUX, CE SERA TERMINÉ...

TCHAC
TCHAC
TCHAC
TCHAC
TCHAC
NOO-OON !
RÉVEIL-LE-TOI !
TCHAC
TCHAC
NE DORS PAS ! NON !
TCHAC
TCHAC
LES HOMMES NE RÉSISTENT PAS AU DÉSIR...
MÊME ACNOLOGIA...
C'EST BIEN LA PREUVE QUE JE SUIS LE MAGE SUPRÊME, LE SEUL CAPABLE DE LE VAINCRE...
WOOO
FSHT
FSHT

ROG...

STING...
ENTRE DANS MON OMBRE...

!

À L'INTÉRIEUR, TOUTES LES SEN-SATIONS SONT ATTÉNUÉES...
UN COURT INSTANT, TU SERAS LIBÉRÉ DE L'ENVIE DE DORMIR...

C'EST FACILE À DIRE, MAIS...
COMMENT VEUX-TU QUE...
SENS L'ATTRAC-TION...
COMME SI TES PIEDS NE FAISAIENT PLUS QU'UN AVEC LE SOL...
LA FORCE D'ATTRAC-TION...
L'ATTRAC-TION...
ÇA, MOI JE PEUX...

JE PEUX TE FORCER À TOMBER DEDANS !
ZOOOM
OOH !
KAGURA !
FSHT
PARFAIT !
...
BLAM

JE SUIS...
DOM
DANS L'OMBRE...
IL AVAIT RAISON...
TOUTES MES SENSA-TIONS SONT ATTÉNUÉES !
YEAH !
FSHUUU
JE LA VOIS !
À TOI, MON ÂME ! ENVOLE-TOI LIBREMENT !
VOILÀ LE COUP COMBINÉ DE ROG, KAGURA...
BLAM
ET MOI !
MOI AUSSI ?

AAH... AH... TISSAGE DU DRAGON DE L'OMBRE BLANCHE !

BAM

AH... AH...

BAM

BAM
AH..
AH...
AH...

BOM
C'EST TOI QUI VAS ALLER TE COUCHER !

...
P... PÈRE...

FAIRYTAIL

...

ON VA OÙ COMME ÇA, STING ?

HEIN ?
MOI, JE SUIS ROG !

HEIN ?! J'AI RIEN VU VENIR !
JE TE LE RÉPÈTE : ON EST DANS TON ESPRIT...
OUAIS, BEN, JE SAVAIS PAS QUE LES RÔLES POUVAIENT CHANGER AUSSI SOUDAINEMENT !
C'EST BIEN LA PREUVE QUE TA CONCENTRATION EST PERTURBÉE...

L'ÉCHARPE QUE TU PORTES... ELLE A ÉTÉ FAITE AVEC DES ÉCAILLES D'IGNIR... TU LE SAVAIS ?
ÉVIDEMMENT !

UNE ÉCHARPE BLANCHE FAITE AVEC DES ÉCAILLES ROUGES... COMMENT TU EXPLIQUES ÇA ?

...

HÉ ! C'EST VRAI, ÇA !
TU NE T'ÉTAIS JAMAIS POSÉ LA QUESTION !

LORSQUE LES ÉCAILLES QUITTENT LE CORPS D'UN DRAGON, LEUR COULEUR PÂLIT...
AH, D'ACCORD !
MAIS CE N'EST PAS LÀ LE POINT LE PLUS IMPORTANT...

LORSQU'ELLES ONT PRESQUE PERDU LEUR COULEUR, LES ÉCAILLES PEUVENT ÊTRE TOUCHÉES PAR LES HOMMES...
TU N'IMAGINAIS QUAND MÊME PAS QU'IGNIR AVAIT TRICOTÉ LUI-MÊME TON ÉCHARPE, HEIN ?
POF
POF
QUOI ?! CE N'EST PAS ÇA ?!
EN RÉALITÉ, C'EST UNE JEUNE FEMME DU NOM D'ANNA QUI L'A FAITE...
MAIS TU L'AS CERTAINEMENT OUBLIÉE...
...
LUCY ?!

ELLE RESSEMBLE À TON AMIE, N'EST-CE PAS ?
!
ZELEPH...

ANNA ÉTAIT UNE FILLE TRÈS GENTILLE, ATTENTIONNÉE ET BIENVEILLANTE...

BON... TA MORT EST PROCHE...
ET LA DERNIÈRE RÉPONSE AUSSI...

BON SANG ! SON CORPS REFROIDIT ENCORE !
NATSU ! ACCROCHE-TOI !

LUCY ! RETIRE TES VÊTEMENTS !
QUE... QUOI ?!

C'EST TOUT CE QU'IL NOUS RESTE...
ON VA ESSAYER DE LE RÉCHAUFFER...
LA CHALEUR HUMAINE, LES SENTIMENTS... IL FAUT CROIRE AUX MIRACLES...

...

D'AC-CORD...

!
ZELEPH...
POF

ZELEPH...
C'EST MOI...
QUI LE VAINCRAI...

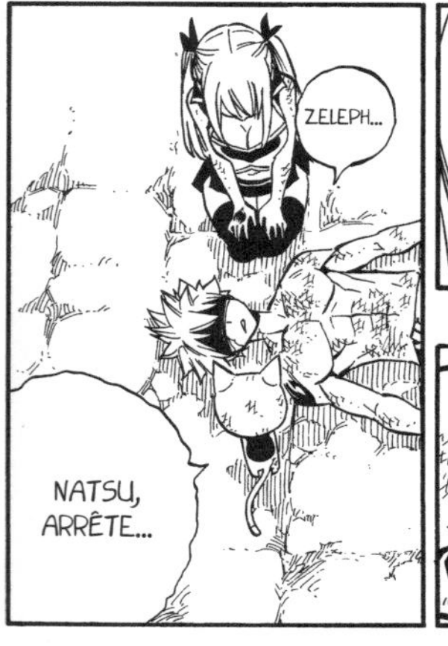
ZELEPH...
NATSU, ARRÊTE...

ÇA SUFFIT...
SI TU LE TUES, TU MOURRAS, TOI AUSSI ! JE LE SAIS !
ET MOI...
MOI...
MAIS... HAPPY...
QU'EST-CE QUE...
ÇA SIGNIFIE ?

MON DIEU, SAUVEZ NATSU !
JE VOUS EN PRIE !
うあああああ
WAAAAAAAH
J'EN AI ASSEZ DE TOUT ÇA !

SI ON VAINC ZELEPH...
NATSU MOURRA ?!

...

CHAPITRE 513 : FLEUR ARRONDIE

STING ! ROG ! ÇA VA ?!
BON SANG...
TAP TAP TAP TAP TAP
MINERVA... YUKINO...
DÉSOLÉ... JE NE PEUX PAS ME LEVER...
TAP TAP TAP
VOUS AVEZ GAGNÉ !
STING !
ROG !

VOUS AVEZ ÉTÉ COURAGEUX, VOUS AUSSI...
NOUS, ON N'A RIEN FAIT...
MOI, JE VEUX MANGER AVEC TOI, ROG...
HEIN ? DE QUOI TU PARLES ?
!

KAGURA... TU ES LÀ, TOI AUSSI...
MINERVA...

TCHAC

JE CROIS QUE JE NE ME SUIS JAMAIS EXCUSÉE APRÈS LE GRAND TOURNOI DE LA MAGIE...
TOUT ÇA, C'EST LOIN...

ET PUIS...
J'AI ARRÊTÉ D'EN VOULOIR AUX GENS...

MAINTENANT, JE VEUX ALLER DE L'AVANT...

DITES, CETTE FILLE QUI DORT PROFONDÉMENT, LÀ...
NON... PAS LÀ...
AH ! ON L'AVAIT OUBLIÉE, ELLE !
EUH... BEN...
EN FAIT...

MOI, JE SUIS CLAQUÉ...
ON PASSE LA MAIN...

OUAIS...
À FAIRY TAIL DE JOUER...

ERZA...
TIENS BON, NE MEURS PAS...

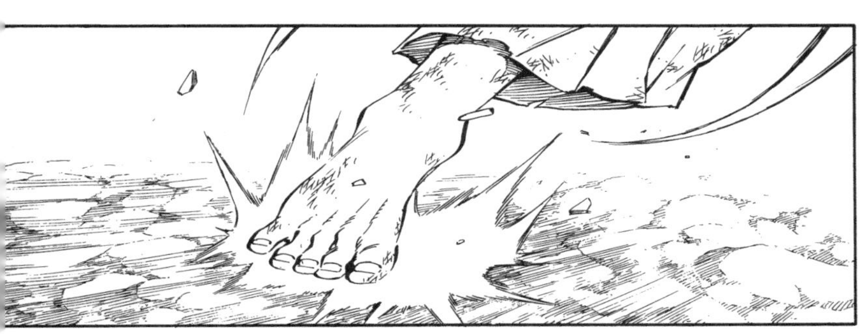

AH...
AH...
IIUM
TII...IING

AH...
AAH...
AAH...

FSHOU
BLAM
TING
VUM

CLANG
TING
TING
FSHH
VIUUUM

!!
HA !
GRR
POF
BOOOM

ANNEAUX CÉLESTES...
BAM
DO
DO
DO
DO
DOM
ET ÉPÉE DÉTONANTE !

TU L'AS EUE ?!
NON... IL EN FAUT BIEN PLUS POUR UNE FILLE COMME ELLE...
UNE ATTAQUE PAR PROJECTION D'ÉPÉES INDÉNOMBRABLES...
PARVENIR À EN MANIPULER AUTANT EN MÊME TEMPS EST UNE SACRÉE PERFORMANCE...
!
BRAVO...
CLAP CLAP
CLAP CLAP

LA FLEUR ARRONDIE !
CLAP
CLAP
CLAP
CLAP
TADAM

MALGRÉ L'AJOUT DU SORT DE LA GAMINE, C'EST TOUT CE QUE TU PEUX FAIRE, ERZA ?
ELLE SE FICHE DE MOI...
ELLE NE S'EST PAS CONTENTÉE D'ESQUIVER LES ÉPÉES... ELLE LES A DISPOSÉES EN FORME DE FLEUR...
TAC
TU ME FAIS PERDRE MON TEMPS...
BAAM

TU VAS ENFIN ME DIRE QUI TU ES ?
TU N'AS TOUJOURS PAS COMPRIS ?

POURTANT, JE SUIS SÛRE QUE TU L'AS SENTI...
TU REFUSES JUSTE DE L'ADMETTRE...

J'IGNORE TOTALEMENT QUI TU ES...
FSHHHHH
ELLES SE RESSEMBLENT PHYSIQUEMENT, MAIS CE N'EST PAS TOUT...
ELLES DÉGAGENT LE MÊME PARFUM...

C'EST POURTANT SIMPLE : JE SUIS TA MÈRE !

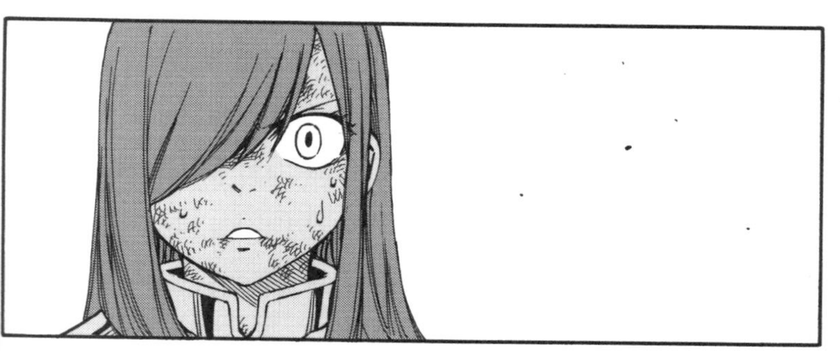

HEIN ?
LA MÈRE D'ERZA...
TU MENS !

J'AI VÉCU SEULE À ROSE-MARIE...
J'AI GRANDI AVEC L'IDÉE QUE JE N'AVAIS PAS DE PARENTS...

ET POURTANT, TA MÈRE EST LÀ, DEVANT TOI !

UNE SEULE PERSONNE A LE TITRE DE "PARENT" À MES YEUX...
C'EST LE MAÎTRE ! ET CE SERA TOUJOURS LUI !
DOM

FAIS COMME TU VEUX... ENTRE NOUS, JE ME FICHE COMPLÈTEMENT D'AVOIR UNE FILLE...
J'AI TOUJOURS CRU QUE TU ÉTAIS MORTE, ALORS...

NÉANMOINS, C'EST UNE DRÔLE DE COÏNCIDENCE QUE DE SE RETROUVER AINSI...

QUICONQUE OSE ATTAQUER LA GUILDE...
DEVIENT MON ENNEMI...

AH OUI ? LA RÉCIPROQUE EST VRAIE... TOUS CEUX QUI S'OPPOSENT AU ROYAUME D'ARBALESS SONT NOS ENNEMIS...
PEU IMPORTE QUE CE SOIT MA FILLE...

FIUUUU

IL SERAIT QUAND MÊME DOMMAGE QUE TU MEURES SANS CONNAÎTRE LE SECRET DE TA VENUE AU MONDE...

UN SECRET ?
JE M'EN MOQUE !

NOUS DEVRIONS PROFITER DE CES BRÈVES RETROUVAILLES...
POUR ÉVOQUER DE TRÈS VIEUX SOUVENIRS, NON ?

TAIS-TOI !
TAC
TAP
DAM

!!
JE M'APPELLE EILEEN BELSERION, ET AUTREFOIS...
J'ÉTAIS LA REINE DES DRAGONS !

CHAPITRE 514 : GRAINE DE DRAGON

400 ANS PLUS TÔT...
ROYAUME DE DRAGONOF.
IL PARAÎT QUE LES HABITANTS DU CONTINENT DE L'OUEST ONT ENCORE ÉTÉ ATTAQUÉS...
PAR UN DRAGON ?
!
CE N'EST PAS ÉTONNANT... LES DRAGONS DE L'OUEST SEMBLENT DÉPOURVUS D'INTELLIGENCE...
FROM
FROM

FROM
GRAND DRAGON BELSERION...
FROM
VOUS ÊTES REVENU DE VOTRE PATROUILLE D'INSPECTION...
LA SITUATION SE COMPLIQUE BIEN PLUS QUE JE NE LE PENSAIS...
EILEEN EST-ELLE LÀ ?
OUI... SA MAJESTÉ EST DANS LE JARDIN...

EILEEN...
AH... BELSERION !

TU N'AS PAS TRÈS BONNE MINE...
...
LES DRAGONS DE L'OUEST DÉVORENT LES GENS...
TÔT OU TARD, ILS VIENDRONT SUR NOS TERRES...
JE CRAINS QU'ON NE PUISSE PLUS LES ARRÊTER...
C'EST INCROYABLE QU'ILS S'EN PRENNENT AUX HOMMES...
L'IDÉE ELLE-MÊME N'A PAS SA PLACE À ISHGAR...
NOUS AVONS TOUJOURS ACCOMPAGNÉ LES HOMMES...
OUI... HOMMES ET DRAGONS UNISSENT LEURS FORCES ET LEUR SAVOIR...
LA COHABITATION N'A JAMAIS ÉTÉ UN PROBLÈME...

SI JAMAIS LES IDÉES DES DRAGONS DE L'OUEST TRAVERSENT L'OCÉAN...
CELA POURRAIT DÉTRUIRE L'ÉQUILIBRE DE NOTRE RELATION...
NON... JE REFUSE QUE CELA ARRIVE...
CRR
NOUS PROTÉGE-RONS LES HOMMES !

PLUS TARD, LA GUERRE DÉNOMMÉE "FÊTE DU ROI DRAGON" ÉCLATA...
UN CONFLIT ISSU DE LA GENTILLESSE DES DRAGONS...

ÌL Y A 400 ANS ?!
COMMENT PEUX-TU...
LAISSONS ÇA DE CÔTÉ...
FWIT
LA SUITE EST BIEN PLUS INTÉRESSANTE...
ERZA...
SURTOUT POUR NOTRE PETITE CHASSEUSE DE DRAGONS...
HEIN ?
JE VIVAIS DANS UN ROYAUME OÙ HOMMES ET DRAGONS AVAIENT TOUJOURS COHABITÉ...
ET À L'ÉPOQUE, PLUSIEURS PAYS D'ISHGAR ÉTAIENT DANS LE MÊME CAS...

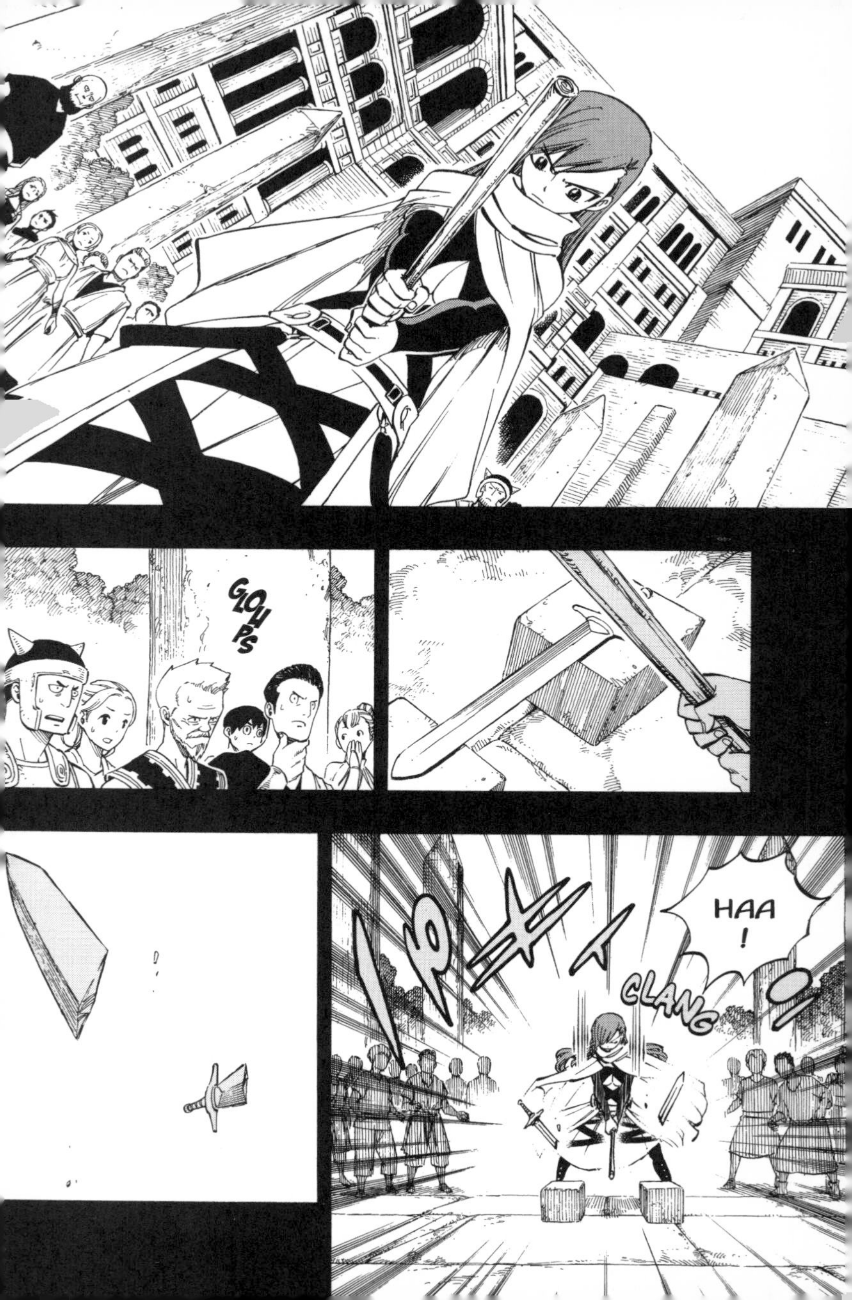
GLOUPS
HAA!
CLANG

JE DONNE AU BOIS UNE SOLIDITÉ SUPÉRIEURE À CELLE DU FER...
ET J'AUGMENTE AINSI, TEMPORAIREMENT, SES FACULTÉS...
C'EST UN "ENCHANTEMENT"...
ELLE A BRISÉ UN SABRE AVEC UN BOUT DE BOIS !
OOOH !
MAJESTÉ ! COMMENT EST-CE POSSIBLE ?!
...
ON VA GAGNER CETTE GUERRE !
ON VA POUVOIR RENDRE LES DRAGONS ENCORE PLUS FORTS !
INCROYABLE !
NON SEULEMENT LES DRAGONS DE L'OUEST ÉTAIENT TRÈS NOMBREUX...
MAIS DES DRAGONS DE L'EST QUI NE SOUHAITAIENT PLUS VIVRE AVEC LES HOMMES REJOIGNIRENT LEURS RANGS...
MAIS LA SITUATION SUR LE FRONT N'ÉTAIT PAS AUSSI SIMPLE...

NOUS ALLONS PERDRE...
TU... TU CROIS ?
JE SUIS TOUJOURS FERMEMENT DÉCIDÉ À PROTÉGER LES HOMMES...
ET TANT PIS SI CELA COÛTE LA VIE À NOMBRE DE MES CONGÉNÈRES...
POURQUOI FAIS-TU TOUT CELA ?
JE T'AI DÉJÀ EXPLIQUÉ QU'UN DE VOS ANCÊTRES M'AVAIT SAUVÉ LA VIE AUTREFOIS, N'EST-CE PAS ?
OUI, MAIS TU AS LARGEMENT REMBOURSÉ TA DETTE...
TU T'ES MIS À MON SERVICE, TU AS COMBATTU POUR LES HOMMES... C'EST SUFFISANT, NON ?

NON... JE NE M'ESTIMERAI LIBRE QUE LORSQUE J'AURAI TOTALEMENT REMPLI MA MISSION DE GARDIEN...
J'Y CONSACRERAI MA VIE...
BELSE-RION...
?
JE VEUX ME BATTRE, MOI AUSSI !
HEIN ?! NE DIS PAS DE BÊTISES ! NOUS AFFRONTONS DES DRAGONS !
AUSSI NOMBREUX SOIENT-ILS, LES HOMMES NE SERONT JAMAIS DE TAILLE FACE À EUX !
J'AI EU UNE IDÉE...

BELSERION...
PEUX-TU ME TRANSMETTRE TES POUVOIRS ?
DOOM
LA FORCE D'UN DRAGON DONNÉE À UN HOMME ?

OUI... LA FORCE DE COMBATTRE LES DRAGONS MALFAISANTS...
WOO
OOO
CHASSEUR DE DRAGONS !

HEIN ?

CE SORT… C'EST TOI QUI L'AS CRÉÉ ?

OUI…

JE SUIS LA MÈRE DES CHASSEURS DE DRAGONS !

NATSU...
RÉVEILLE-TOI...
FRSH
FRSH
FRSH
FRSH

LE SORT DE DISPARITION DES DRAGONS AURAIT ÉTÉ CRÉÉ PAR UNE CERTAINE EILEEN...
C'EST CE QU'ANNA M'A DIT...
WENDY ?!

ON EST DANS TON ESPRIT... TU VAS ÊTRE SURPRIS À CHAQUE FOIS ?
C'EST BIEN BEAU DE VENIR LES UNS APRÈS LES AUTRES, MAIS VOUS N'ÊTES PAS CENSÉS ME DIRE POURQUOI JE SUIS À L'AGONIE ?

HEIN ? AUCUNE IDÉE... NOUS, ON EST LÀ POUR TE GUIDER VERS TES PROPRES SOUVENIRS...
ON EST PRESQUE ARRIVÉS, NATSU...

ON PEUT CONSIDÉRER QUE MON PLAN QUI CONSIS-TAIT À PERMETTRE AUX HOMMES DE COMBAT-TRE LES DRAGONS A FONCTIONNÉ...
CELA A PERMIS L'AVÈNEMENT DE NOMBREUX CHASSEURS DE DRAGONS...
ET NOTRE CAMP A FINI PAR PRENDRE LE DESSUS DANS LE CONFLIT...

MAIS CE TROP GRAND POUVOIR S'EST MIS À RONGER CEUX QUI L'UTILISAIENT…
CERTAINS, DANS L'INCAPACITÉ DE CONTRÔLER CETTE FORCE, DEVINRENT VIOLENTS…
D'AUTRES SOUFFRAIENT D'AFFREUSES NAUSÉES PROVOQUÉES PAR LE DÉSÉQUILIBRE ENTRE LA VISION DES DRAGONS ET LEUR OREILLE INTERNE…
PUIS…
AH… MAJESTÉ… VOTRE VISAGE…
HEIN ?
LES HOMMES SENTIRENT POUSSER EN EUX…
LES GRAINES DE DRAGONS…

UN PROCESSUS QUI LES TRANSFORMAIT EN DRAGONS...
ボロ
FRSH
ボロ
FRSH
LA DERNIÈRE ÉTAPE DU SORT DU CHASSEUR DE DRAGONS...
LORSQUE C'EST ARRIVÉ, J'ÉTAIS ENCEINTE DE TOI...
ERZA...

FAIRY TAIL

CHAPITRE 515 : JE SUIS TOI... TU ES MOI...

ERZ
TON PÈRE ÉTAIT UN GÉNÉRAL D'ARMÉE D'UN PAYS VOISIN...
IL S'AGISSAIT D'UN MARIAGE STRATÉGIQUE À UNE ÉPOQUE OÙ LES LUTTES DE TERRITOIRES FAISAIENT RAGE...
NOUS AVONS COMBATTU ENSEMBLE À PLUSIEURS REPRISES...
ET IL ÉTAIT À MES CÔTÉS LORSQUE BELSERION S'EST ÉTEINT...
AVEC L'INTERVENTION D'ACNOLOGIA, LA GUERRE A PRIS FIN SANS DÉSIGNER DE VAINQUEUR...
SI CE N'EST ACNOLOGIA LUI-MÊME QUI LAISSA DERRIÈRE LUI...
UN NOMBRE INCALCULABLE DE VICTIMES ...

SEMAINE APRÈS LA FIN DE LA GUERRE...
N'APPROCHE PAS, MONSTRE !
SINON, JE TE POURFENDS !
MAIS C'EST MOI ! EILEEN !
JE VAIS ME SOIGNER...
ALORS...
ELLE VA DEVENIR COMME ACNOLOGIA !
HIII !
AAAH !
NON ! MOI, J'AIME LES DRAGONS !
DANS CE CAS, TU ES UN ENNEMI DES HOMMES ! TENEZ-VOUS PRÊTS, NOUS ALLONS ENFERMER CETTE HORRIBLE FEMME DRAGON !

!!
JE NE VEUX PAS D'UN ENFANT MONSTRE !
NON, ARRÊTE ! NE FAIS PAS ÇA ! JE PORTE TON ENFANT...
LA SUITE DE MA VIE A ÉTÉ MISÉRABLE...
HU-MILIA-TIONS...
VIO-LENCES ...
TOR-TURES ...

JE PRO-
METS...
DE TE
PROTÉGER...
PLOC
PLOC
FSH
NE
T'EN FAIS
PAS...
TAP
!
FEMME
DRAGON...
LA DATE
DE TON
EXÉCUTION
A ÉTÉ
FIXÉE...

JE T'EN PRIE... MON ENFANT... AU MOINS LUI...
ARRÊTE DE DIRE N'IMPORTE QUOI...
ÇA FAIT TROIS ANS QUE TU ES SOI-DISANT ENCEINTE !
J'AI... J'AI UTILISÉ UN SORT...
JE NE PEUX PAS ACCOUCHER DANS UN ENDROIT PAREIL...
JE SUIS SÛR QUE TON VENTRE EST VIDE !
BAM
JE VAIS T'ÉVENTRER POUR EN AVOIR LE CŒUR NET !
NON !
ARRÊTE !
JE T'EN PRIE !
NOOOOOOOOON !
TCHAC
TCHAC
TCHAC

HAA...
HAA...
HAA...
!

SALE... SAL MONSTRE.
GOGOGOGO GO GO GO
CRSHH
BROOOOOM
QU'EST-CE QUI SE PASSE ?
ÇA VIENT DES GEÔLES !
TAP TAP
!

UN
DRAGON
?!

FSHOO
BROOOOM

JE SUIS UNE FEMME !
UNE FEMME !
JE NE VEUX PAS DE CE CORPS !
JE VEUX REDEVENIR CELLE QUE J'ÉTAIS...
À L'AIDE...
AU SECOURS...
J'AI VÉCU AINSI PLUSIEURS CENTAINES D'ANNÉES...
EN TE PORTANT DANS MON VENTRE...

CACHÉE AU FOND DES MONTAGNES, LOIN DES HOMMES, J'AI CHERCHÉ UN MOYEN DE ROMPRE LE SORT...
ET UN JOUR...
TAP
UN DRAGON... J'IGNORAIS QU'IL EN RESTAIT ENCORE...
QUI ES-TU ?!
OH... TU ES UN ÊTRE HUMAIN, EN RÉALITÉ ?
C'EST AINSI QUE J'AI RENCONTRÉ NOTRE EMPEREUR...
C'ÉTAIT UN GÉNIE DE LA MAGIE...
ALORS QUE J'AVAIS ÉCHOUÉ DEPUIS TOUTES CES ANNÉES...
LUI, EN UN CLAQUEMENT DE DOIGTS...

MON CORPS !
J'AI RETROUVÉ MON CORPS DE FEMME !
ÇA Y EST...
C'EST NCROYA-BLE...
CE N'EST QU'UNE APPARENCE... MALHEUREUSE-MENT, TU ES DÉJÀ...
PEU IMPORTE ! C'EST DÉJÀ ÇA...
J'AI RETROUVÉ MON APPARENCE D'ORIGINE... ET ÇA SUFFIT...
À FAIRE MON BONHEUR...
MAIS DES ANOMALIES SONT TOUT DE SUITE APPARUES...
...
ÇA N'A PAS DE GOÛT...

PLUS RIEN N'A GOÛ !
CROUNCH
CROUNCH
JE N'ARRIVE PAS À DORMIR...
COMMENT ÇA SE FAIT ?
JE NE COMPRENDS PAS...
ÇA ME GRATTE...
ÇA ME FAIT MAL...
J'AI FROID...
QU'EST-CE QUE ÇA SIGNIFIE ? JE VEUX REDE-VENIR UN ÊTRE HUMAIN NOR-MAL...
CE N'EST QU'UNE APPARENCE... MALHEUREUSE-MENT, TU ES DÉJÀ...
JE SUIS UNE FEMME !
UNE FEMME !
JE VAIS ACCOUCHER D'UN ENFANT HUMAIN...
UN ENFANT...

UN ENFANT D'HOMME...
DOM
DOM
DOM
J'AI UN ENFANT EN MOI...
DOM
LA VIE...
DOM
UN ENFANT...
UN CORPS...
HUMAIN...

SI J'UTILISE LE CORPS DE CET ENFANT POUR CRÉER UN ENCHAN-TEMENT...
JE POURRAI REDEVENIR HUMAINE, NON ?

NOUVELLE VIE...
NOUVEAU CORPS...
NOUVELLES PERSPECTIVES...
JE SUIS TOI, ET TU ES MOI !
NOUS NE FERONS QU'UN...
MON ENFANT !

MAIS J'AI ÉCHOUÉ...
M'ÉTAIT POSSIBLE TILISER UN TEMENT SUR N PROPRE NFANT...

DU COUP, JE N'AVAIS PLUS RIEN À FAIRE DE TOI...
ALORS JE T'AI JETÉE, COMME UN DÉCHET...
DANS LE RECOIN D'UN PETIT VILLAGE !

CE VILLAGE, C'ÉTAIT ROSE-MARIE ?
AUCUNE IDÉE...

ERZA...
ÇA VA ALLER...

TU M'AS DONNÉ LA VIE ET POUR ÇA, JE ME DOIS DE TE REMERCIER...

JE N'AI RIEN À FAIRE DES REMERCIEMENTS D'UN DÉCHET...

COMMENT OSES-TU DIRE ÇA À TA PROPRE FILLE ?!

ENSUITE, JE TE REMERCIE AUSSI DE M'AVOIR ABANDONNÉE...

GRÂCE À TOI...
J'AI PU RENCONTRER MA VRAIE FAMILLE !
DOOOM

CHAPITRE 516 :
LA VÉRITÉ SUR L'ENCHANTEMENT

TU PEUX ÊTRE MA MÈRE, ÇA NE CHANGE RIEN...

Si TU NOUS EMPÊCHES DE NOUS RENDRE À LA GUILDE...
ALORS JE TE TUERAi, C'EST TOUT !

TU M'ENLÈVES LES MOTS DE LA BOUCHE...
JE PENSAIS QU'ÉVOQUER LES SOUVENIRS DU PASSÉ ÉVEILLERAIT CHEZ MOI UN PEU D'INSTINCT MATERNEL, MAIS...

MAL-
HEUREU-
SEMENT
POUR
TOI...
BAM
JE NE
RESSENS
ABSOLU-
MENT RIEN
!
DOM
DOM
DOM
FSHHHHHH
DOM
DOM
DOM

CLING

JE SUIS DEVENUE REINE D'UN PAYS PAR LA SEULE FORCE DE MA MAGIE...
ET TU ESPÈRES POUVOIR ME VAINCRE ?

OUI... PARCE QUE J'AI UNE FAMILLE...
!

VIUUM

AILES DU DRAGON CÉLESTE !
BLAM

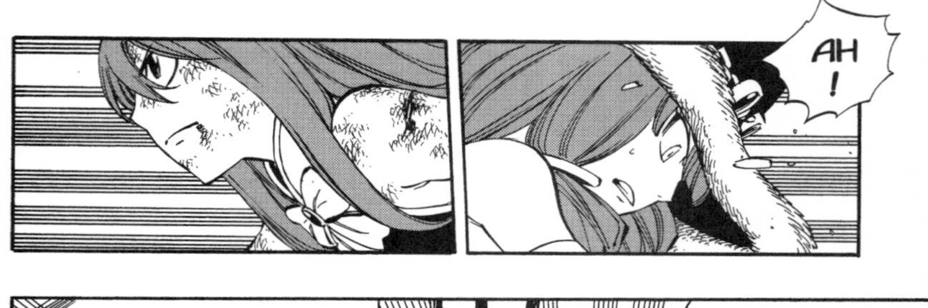
AH !

LAMES JUMELLES ROUGE ET NOIRE !
RAAAH !
CLAANG

FRSHHH
ZAAA

ELLE A RÉUSSI...
À ME BLESSER...

JE COMPATIS POUR CE QUE TU AS VÉCU...

MAIS...
JE NE POURRAI JAMAIS PARDONNER À QUELQU'UN...
INCAPABLE D'AIMER SON PROPRE ENFANT !

PETITE CHASSEUSE DE DRAGONS...
TU M'AS ENTENDUE PARLER DE LA GRAINE DU DRAGON TOUT À L'HEURE, N'EST-CE PAS ?

TOI AUSSI, TU EN PORTES UNE...

JE LE SAIS, OUI...

MAIS MA MÈRE...
A PASSÉ DE LONGUES ANNÉES À LA CONTRÔLER POUR L'EMPÊCHER DE GERMER...

QUOI ?

C'EST POUR ÇA QUE JE NE ME CHAN-GERAI PAS EN DRAGON...

ET NATSU NON PLUS, PROBABLE-MENT...

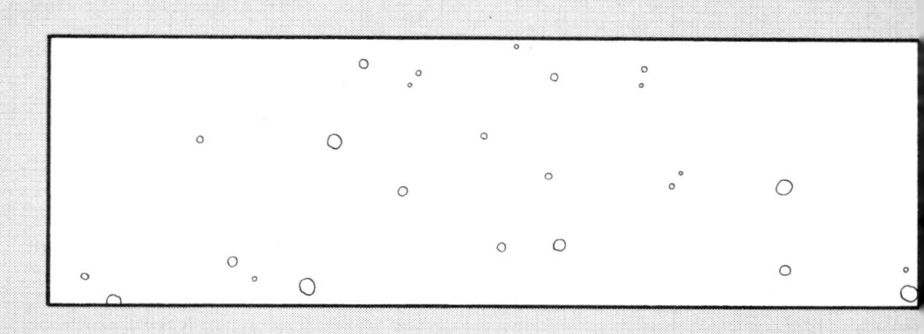

BEN...
WENDY ? GAJIL ?
VOUS ÊTES OÙ ?

LA GRAINE DE DRAGON...
GO
GO GO
!
GO
VOILÀ CE QUI SE TROUVE DANS TON CORPS...
CRSH
...
C'EST LE MAL QUI TOUCHE TOUS LES CHASSEURS DE DRAGONS... IL GRANDIT ET IL FAIT D'EUX DES DRAGONS...
GO GO GO GO

CEPENDANT, J'AI STOPPÉ SA CROISSANCE...

IGNIR...

NORMALE-
MENT, ELLE NE
DEVRAIT PLUS
ÉVOLUER...
PARCE QUE
TU AS QUITTÉ
MON CORPS
?
NON...

LA CAUSE
EST AILLEURS...
IL Y A
UNE AUTRE
GRAINE EN
TOI...
ON POURRAIT
L'APPELER LA
GRAINE DU
MAL...
ELLE EST
LA PREUVE
QUE TU ES
E.N.D...

CES DEUX GRAINES ESSAYENT DE FUSIONNER...
VOILÀ CE QUI SE PASSE EN CE MOMENT DANS TON CORPS...

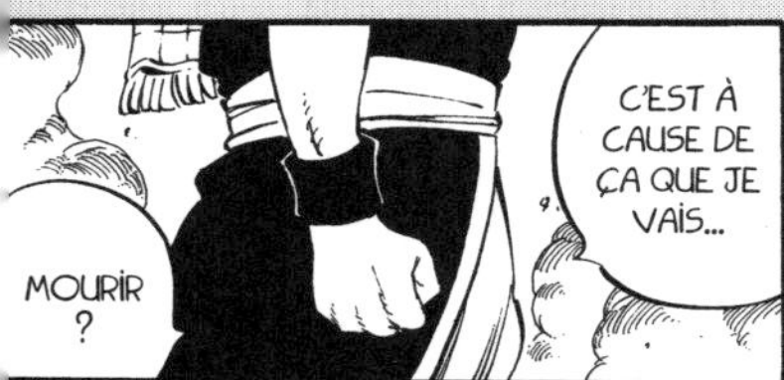
C'EST À CAUSE DE ÇA QUE JE VAIS...
MOURIR ?

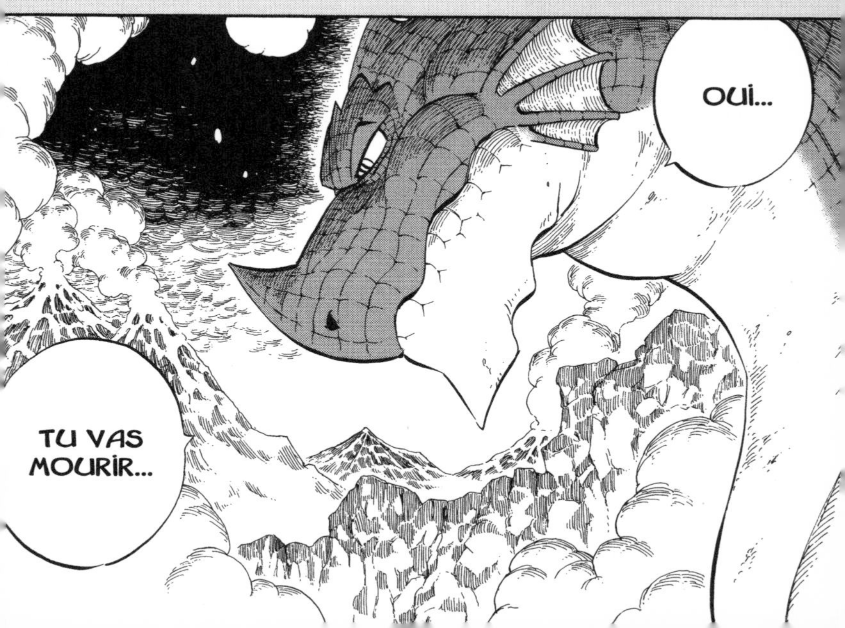
OUI...
TU VAS MOURIR...

JE COMPRENDS... LES DRAGONS SONT ENTRÉS DANS VOS CORPS ET ILS EMPÊCHENT LA GRAINE DE CROÎTRE ?

BELSERION, LE DRAGON À QUI JE DOIS MES POUVOIRS, EST MORT AU COMBAT...

J'AI HÉRITÉ DE SON NOM...
ET J'AI JURÉ DE LE VENGER...

MAIS... J'IGNORAIS QU'IL EXISTAIT UN MOYEN PAREIL POUR ÉVITER LA MÉTAMORPHOSE...
...

C'EST INJUSTE !
DAAM
ARGH !
FRSHAAAA
AAAH !
FSHAAA

RENDEZ-MOI MA VIE !
JE NE VEUX PAS DE CE CORPS, MOI !
TAP
WENDY !
DANS CE CAS, JE VAIS T'EN DÉBARRASSER !
OUI !
DOM
BAM

AUGMENTATION DES CAPACITÉS PHYSIQUES !
DEUS EQUES !
DAAAM
PETITE IMPERTINENTE... ENCHANTEMENT DIVISÉ...
DEUS ZERO !
TIIING

ANNIHILATION DES EFFETS DE DEUS ZERO PAR UN AUTRE DEUS ZERO !
QUOI ?! ELLE CONNAÎT UN ENCHANTEMENT DE CE NIVEAU-LÀ...
AH...
AH...
AH...
AH...

HÉ !

CLANG

ET JE TERMINE AVEC ÇA !
TCHAC

WOOOOO

TCHAC !!

ERZA... MAINTENANT, J'AI COMPRIS...

JE CONNAIS LA VÉRITÉ SUR L'ENCHANTE-MENT...

TU CROIS QUE ÇA A ÉCHOUÉ PARCE QUE TU ÉTAIS UN BÉBÉ... MON BÉBÉ ?
OU PARCE QUE L'ENCHANTE-MENT D'UN CORPS COMPLET EST TOUT SIMPLEMENT IMPOSSIBLE VERS UNE PERSONNE HUMAINE ?

CE N'EST NI L'UN NI L'AUTRE...
EN RÉALITÉ, C'EST UNE QUESTION D'AFFINITÉ...

?!

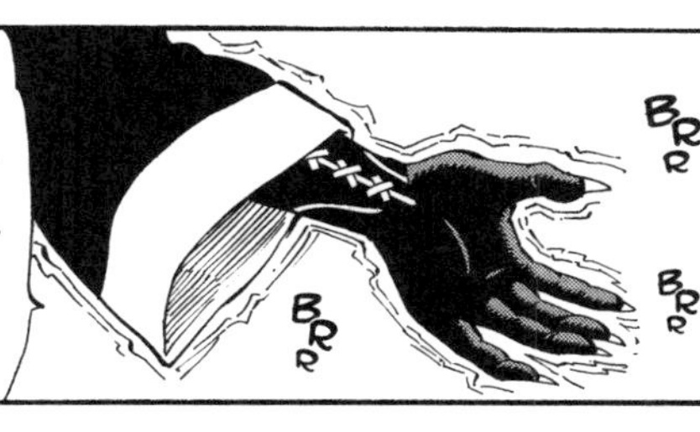
UN CHASSEUR DE DRAGONS, ENCHANTEUR...
BRR
BRR
BRR
DANS UN CORPS SI JEUNE, QUI NE SE MÉTAMORPHOSE PAS... LÀ, SOUS MES YEUX... C'EST INESPÉRÉ...

DOM
QUOI ?!

J'ATTENDS CE MOMENT DEPUIS SI LONGTEMPS...
BRR
BRR
JE VAIS PERDRE UN PEU DE PUISSANCE, MAIS CE N'EST PAS UN PROBLÈME...

WENDY...

NOUVEAU CORPS, NOUVELLE VIE...
GO
GO
GO
GO
GO
GO
VOICI LA NOUVELLE EILEEN !

CHAPITRE 517 :
WENDY BELSERION

GO GO GO GO GO GO
UN NOUVEAU CORPS...
MON CORPS...
AH... NON...

UNE BLESSURE À LA CUISSE GAUCHE...
ET QUELQUES PLAIES ICI ET LÀ...
MAIS CE N'EST PAS UN PRO-BLÈME...
JE PEUX BOUGER...

TIENS ? QUELLE MIGNONNE PETITE POITRINE...
WENDY...

!

!!
BLAM

ÇA, CE N'EST PLUS QU'UN TAS DE CHAIR VIDE...

OÙ EST WENDY ?!
NE LA CHERCHE PAS, ELLE N'EST PLUS LÀ...
ENFIN, DÉSORMAIS, C'EST MOI...

ÇA SUFFIT ! SORS DE SON CORPS !
DAM
TU NE SERAIS PAS UN PEU IDIOTE, PAR HASARD ? CE N'EST PAS UNE SIMPLE POSSESSION...
JE SUIS TOTALEMENT DEVENUE WENDY !
ARGH !
VLAM
DÉSOLÉE, MAIS TA MÈRE EST DÉSORMAIS PLUS JEUNE QUE TOI !

BON SANG...
FWIT
!
AA...
AAH!
AAAAAH!
BOOOOOOOOOM
AAH... AAH...

PARFAIT... MA MAGIE N'A QUE TRÈS PEU DIMINUÉ...
PROBABLEMENT PARCE QUE CETTE FILLE AVAIT DE BONNES PRÉDIS-POSITIONS...
GHH...
UUH...

BON...
ASSEZ JOUÉ...

L'IDÉE QU'UNE FILLE AUSSI JEUNE AIT UN ENFANT, C'EST RÉPUGNANT, HEIN ?
JE VAIS DONC TE FAIRE DISPARAÎTRE, SINON...

JE NE POURRAI PAS COMMENCER MA NOUVELLE VIE !
DOOOOM
AAGH !
C'EST ÇA...
LA MAGIE DU CHASSEUR DE DIEUX CÉLESTES ?
FSHH
HA HA !
J'ADORE !
AAAH !
VOOOOOM

WENDY ! EXPULSE-LA !
IMPOSSIBLE ! LA CONSCIENCE DE LA GAMINE EST MORTE !
DÉSORMAIS, WENDY, C'EST MOI...
FUUUUU
UU
WENDY BELSERION !

PAS QUESTION QUE JE TE LAISSE...
TAP
PRENDRE WENDY !
TAP
TAP
TAP
TING
AAH...
AAH...
AAH !
AH...

TU OSERAIS FRAPPER...
CE CORPS ?
!!
PAF

NOS AMIS NOUS AIDENT...
À SURMONTER LA DOULEUR D'AVOIR PERDU UN ÊTRE CHER...

VIENS...
REJOINS FAIRY TAIL...

ERZA...

NE TE MONTRE PAS !
IL EST TOUT PETIT, HARU !

CETTE FOIS, C'EST MOI QUI VAIS TE PROTÉGER, ERZA !
...
HA HA !
OUTCH !

TU ES TROP GENTILLE...

TING
!!
VIUM
VIUM
VIUM
VIUM
ENCHANTE-MENT SUR ARMURE...
EX-PLOSION !
DOOOM
AAAAH !

!
JE N'AI PRESQUE PAS DE DÉGÂTS ?
?!

AUGMENTATION DE LA RÉSISTANCE À TOUS LES ÉLÉMENTS, DEUS CORONA !
!!
EN TANT QU'ENCHANTERESSE, JE ME SUIS DIT QUE JE POUVAIS PEUT-ÊTRE PRODUIRE LE MÊME SORT...

CELA M'A PRIS UN PEU DE TEMPS, MAIS...
DOM
BRRR
BRRR
ME VOILÀ, ERZA... C'EST MOI, WENDY...
WENDY ?!
QUOI ?!
CETTE POITRINE... EST VRAIMENT LOURDE...
C'EST IMPOSSIBLE ! UNE GAMINE NE PEUT PAS MAÎTRISER UN TEL SORT...
POF POF

"TA" MAGIE EST VRAIMENT IMPRESSION-NANTE...
CRRT
MAIS TU AS COMMIS UNE GROSSE ERREUR EN ENTRANT DANS MON CORPS...
ERZA ! COUCHE-TOI !
FSHUUUU

DOM
AAH !

PFFT
DIVISION D'EN-CHANTE-MENT !
UUH...
JE RECULE ?!
OUI... MA MAGIE EST SUPÉRIEURE À LA TIENNE...
MAIS ENFIN... ELLE...
GO
GO
GO
QUE...
ELLE CHERCHE À M'EXTIRPER DE "MON" CORPS ?!
GO
GO
TU VAS ME RENDRE MON CORPS !
J'AI TOUJOURS ADMIRÉ LES GROSSES POITRINES, MAIS JE SUIS HABITUÉE À MON PETIT GABARIT !
GO-O-O
O-O-O

NOOOO-OON !
TCHAC
QUOI ?!

TU ES SÛRE DE VOULOIR RÉCUPÉRER CE CORPS ?!
TAC
TAC
TAC
TAC
TAC
TAC
TAC
J'AI ENFIN MIS LA MAIN DESSUS ! JE NE TE LE RENDRAI PAS ! JAMAIS !

TOUTES MES BLESSURES SONT LES PREUVES DE CE QUE J'AI VÉCU !
JE ME FICHE BIEN D'EN AVOIR DE NOUVELLES !
LES MÉDAILLES DES BATAIL-LES QUE J'AI MENÉES AVEC FAIRY TAIL !

CES MARQUES SONT AUTANT DE SOUVENIRS DES MOMENTS PASSÉS AVEC LES GENS QUE J'AIME !
WENDY !
NOOON !
DOM

FSHH
ERZA...
BLAM
WENDY ! TU ES REVENUE ?!
OUI...
TU PERMETS... QUE JE TE PASSE LA MAIN ?
...
TIIING

OUI...
COMPTE SUR MOI POUR FINIR LE TRAVAIL...
SALES GAMINES...

CHAPITRE 518 : MASTER ENCHANTED

WENDY...
TIENS BON, JE VAIS RÉGLER ÇA TRÈS VITE...

"TRÈS VITE"
?
FSHH
NE ME
FAIS PAS RIRE,
C'EST DOU-
LOUREUX...
MA MAGIE
EXISTE
DEPUIS
400 ANS
!
BAM

DOOOM

FSHHHT
VIUUM
PAF
DOM
DOM
DOM
DOM

DOM
DOM
DOM
DOM
ALORS QUE JE T'AI PROTÉGÉE PENDANT 400 ANS...

TOI, TU N'AS TROUVÉ AUCUN MOYEN DE TE RENDRE UTILE !
DOM
DOM
DOM
DOM
DOM
DOM
ET MAINTENANT, TU CHERCHES À GÊNER MON BONHEUR ?!

J'AI COMPRIS QUE TU ÉTAIS MALHEUREUSE...
TAP
TAP
TAP
TAP
TAP
MAIS...
TAP

JE N'AI PAS LE DROIT DE PERDRE !
CLAANG
NE PARLE PAS SANS SAVOIR ! TU NE PEUX IMAGINER CE QUE J'AI ENDURÉ !
BAM
CRSHHH

ENFANT, J'AI ÉTÉ CAPTURÉE DANS LE VILLAGE OÙ TU M'AVAIS ABANDONNÉE...
ET PENDANT PLUSIEURS ANNÉES, J'AI APPARTENU À UNE SECTE...
WOO

CE N'EST RIEN COMPARÉ AUX 400 ANNÉES QUE, TOI, TU AS VÉCU...
TAP
MAIS C'EST GRÂCE À ÇA QUE J'AI PU DEVENIR CELLE QUE JE SUIS AUJOURD'HUI...

J'AI MÊME RENCONTRÉ LES GENS QUE J'AIME...

ET C'EST GRÂCE À EUX QUE J'AI SURMONTÉ AUTANT D'ÉPREUVES !
CLAANG
FOUTAISES ! TAIS-TOI !
JE HAIS TOUT CE QUE TU REPRÉSENTES !
JE N'AURAIS JAMAIS DÛ TE DONNER NAISSANCE !
JE VEUX QUE TU MEURES !
QUE TU DISPARAISSES À JAMAIS !
WOOOO OOO
AH...
AH...
AH...
AH...
AH...
QUOI ?
AAH...
CRSH
CRSH

ドゴッ
OUTCH
!
BAM
ズザザァ
FSHH
...
ブロ
VOM
ブロ
VOM
ブロ
VOM

WOOOOOO

UN DRAGON ?!

!!
FWIT

VLAM
RAAH !
CRT
CRT
CRT
CRT
BOM

TIC
TIC
TIC
TIC
UN SEUL COUP... A SUFFI... POUR ME BRISER LES OS...
AH...
AAH...
AH...
ARGH !
CRAC
AAAAAH !
CETTE FOIS, TU NE PEUX PLUS BOUGER...
HAA...
HAA...
HAA...
HAA...
LE DRAGON AUGMENTE CONSIDÉRABLEMENT LE POUVOIR DE L'ENCHANTEMENT...

UUH...
UH...
À "MAÎTRE"...
IL PASSE DU NIVEAU "ÉLEVÉ"...

C'EST L'ENCHANTEMENT DE LA TERRE ENTIÈRE !
PLUS PUISSANT QUE LE SOL, LA MER, LE CIEL... PLUS PUISSANT QUE TOUT !

TU VAS DISPARAÎTRE ! JE VAIS FAIRE DE TOI UN PETIT TAS DE CENDRES, ERZA !
JE... JE SUIS... PARALYSÉE...
...

DEUS SEMA !
GWOOOOO

GO GO GO
GO GO GO
NON... C'EST IMPOSSIBLE...
GO GO GO GO GO

UNE VERSION AMÉLIORÉE DU SORT DE GERALD !
WOOOOOO

S'IL ME TOUCHE, AUCUN DOUTE, JE MOURRAI...

ET JE NE SERAI PAS LA SEULE !

TOUS CEUX QUI SONT ICI AUSSI...
QU'EST-CE QUE C'EST ?
UNE ÉTOILE FILANTE !
ELLE SE DIRIGE VERS NOUS ?!

NON ! BON SANG ! BOUGE !
RELÈVE-TOI, ERZA !

CETTE FOIS, C'EST TERMINÉ, ERZA !

!
JE PEUX BOUGER MA MAIN DROITE !

JE TENTE LE TOUT POUR LE TOUT !

DAM
?!
AAAAAAH !
TU FONCES TOUT DROIT VERS LA MÉTÉORITE ?!
TA BÊTISE EST SANS LIMITE !
OOH...
OH...
OOH...
OH...
OH...

UN HOMME SEUL N'A AUCUNE CHANCE...
DE STOPPER UNE MÉTÉORITE !
OOOOOH
JE NE SAIS PAS DEPUIS QUAND ON M'A DONNÉ LE SURNOM DE TITANIA...
ET HONNÊTEMENT, JE ME FICHAIS BIEN DU NOM QU'ON ME DONNAIT, MAIS...
SI TU ES LA REINE DES DRAGONS...
JE VEUX BIEN ÊTRE CELLE DES FÉES !

UNE REINE AIME TOUS SES SU-JETS ET LES PROTÈGE !
ET ELLE EST PRÊTE À VOLER EN ÉCLATS POUR Y PARVENIR !

À SUIVRE

PAGES BONUS

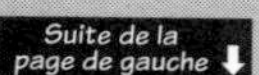

Mirajane : *Question suivante !*

Au chapitre 503 dans le tome 59, lorsque Dimaria a arrêté le temps, que s'est-il réellement passé ?

Lucy : *Ah, ça... moi, j'ai pu être sauvée, mais Natsu est devenu très bizarre...*

Mirajane : *Dimaria était vraiment terrifiée...*

Lucy : *Natsu a réussi à bouger alors que le temps était arrêté ?*

Mirajane : *Bon, reprenons les événements dans l'ordre !*

①Dimaria a arrêté le temps.

②Lorsque Natsu s'est réveillé, Dimaria était K.-O. !

: Attends un peu ! Comment il fait pour bouger ?

Mirajane : *Peut-être grâce aux pouvoirs d'E.N.D. ?*

Lucy : *Je te rappelle que Natsu était attaché, lui aussi...*

Mirajane : *Ah, ça, avec ses pouvoirs d'E.N.D., c'est pas un problème...*

Lucy : *Oui, mais il y avait aussi la pierre réfractaire...*

Mirajane : ***E.N.D. Power !***

Lucy : *C'est pratique, ça...*

Mirajane : *Bon, et ensuite...*

③Natsu a remarqué Lucy (il a regardé sa poitrine).

: Ne regarde pas !

: Je crois qu'il est un peu tard pour dire ça...

④Natsu a détaché les liens de Lucy (et il a regardé de nouveau sa poitrine).

: Il exagère !

Mirajane : *Natsu est un garçon...*

⑤Voyant que Lucy ne bougeait pas, Natsu a pensé qu'elle était morte.

⑥Il s'est éveillé aux pouvoirs d'E.N.D.

⑦Il a mis une nouvelle fois Dimaria au tapis.

⑧Il est allé voir Zeleph.

Lucy : *C'était donc ça...*

Mirajane : *Natsu est un garçon, c'est normal...*

Lucy : *Stop ! Je ne parlais pas de ça ! Passons...*

Quand verrons-nous la Capricorn Form de la robe constellationnaire ?

Lucy : *Ah, ça... Peut-être dans le prochain long-métrage de Fairy Tail. Ou pas...*

Mirajane : *Hein ? C'est oui ou c'est non ?*

Lucy : *Il est trop tôt pour le dire !*

Mirajane : *Plue plue pupipiiin !*

Au café de Magnoria.

: Bonjour, tout le monde !

: Plue plue pupipiiin ! ♪

: Hein ?! C'est quoi, ça ?!

Mirajane : Ben, c'est une imitation de ta constellation Plue ! ♡

Lucy : Ah, non ! Ce n'est pas du tout comme ça !

Mirajane : Bon, allez ! C'est reparti pour un tour !

Lucy : Euh... oui... passons à la première question...

J'adore Brandish. Rendez-la heureuse !

Mirajane : C'est vrai que c'est une Spriggan Twelve très populaire !

Lucy : Dimaria et Eileen aussi, et pourtant, elles n'ont pas été tendres avec moi...

Mirajane : En fait, le groupe des filles a beaucoup de succès...

Lucy : Chez les hommes, c'est God Serena !

Mirajane : Hein ? Mais enfin, lui... il est...

Lucy : Oui, je vois, le côté sympa/malchanceux...

: L'auteur, lui, penche pour Jacob...

Lucy : Mais j'y pense, Mirajane... Tu es en plein combat, là ? Bon courage !

Mirajane : Oui... mais je me demande pourquoi il garde les yeux fermés ?

: Hein ?

Mirajane : Il est censé être très puissant, ça me sauve qu'il ait les yeux fermés ! Je fais jeu égal avec lui !

Lucy : Dis, Mirajane, tu ne porterais pas une tenue très sexy, par hasard ?

: Oups... Tu as raison ! Quelle étourdie

Lucy : Bon, revenons à nos moutons : Brandish. Moi, je veux qu'elle soit heureuse !

Mirajane : Remarque, moi aussi... Si tout le monde est heureux, c'est parfait !

Lucy : Oui, mais... vu l'évolution de l'histoire...

À suivre page de droite

LE JEU DES 10 ERREURS !

CE DESSIN A ÉTÉ UTILISÉ POUR ILLUSTRER LA PREMIÈRE PAGE DU CHAPITRE 517, PAGE 143. MAIS SI VOUS REGARDEZ DE PLUS PRÈS, VOUS CONSTATEREZ QU'IL Y A DE PETITES DIFFÉRENCES... IL Y EN A 10 EN TOUT ! SAUREZ-VOUS LES TROUVER ?

Ce volume apporte de nombreuses réponses très précieuses sur les chasseurs de dragons. J'espère que vous avez apprécié ! Au moment de la publication dans l'hebdomadaire, les réactions ont été diverses : "Waouh ! c'est génial !" ou "Le coup de l'explication après coup, c'est trop abusé !" ou encore "Mouais, bof..." J'ai tout entendu !

Bien évidemment, je sais que c'est une trouvaille faite "après coup", mais dans ce cas, toutes les idées que j'ai eues après le premier chapitre sont des idées "après coup"... Mon responsable éditorial me répète souvent qu'"une histoire est un être vivant". Elle porte toutes sortes d'éléments en elle, elle évolue avec le temps. Je n'avais pas en tête la totalité de l'histoire lorsque j'ai commencé *Fairy Tail*, et je trouve forcément mes idées au fur et à mesure pour la mener à son terme.

Concernant le personnage d'Eileen, j'avais décidé depuis longtemps qu'elle serait la mère des chasseurs de dragons. En revanche, étonnamment, je n'étais pas vraiment fixé sur le type de liens qu'elle aurait avec Erza. De ce fait, lorsqu'elle affronte Acnologia, si je n'ai pas trop abordé la question du sort des chasseurs de dragons, c'est tout simplement parce que j'hésitais encore sur la relation Eileen/Erza. Je pense que j'aurais dû avoir une approche plus carrée de ce passage-là.

À propos d'idée survenues "après coup", je me souviens avoir déjà parlé du cas d'Erza : en effet, c'est un personnage pour lequel je n'avais presque rien décidé avant de le faire entrer en scène.

Je n'avais pas encore pensé à sa magie, ni à sa relation avec Gerald (Jycrain), ni à ses futurs liens avec Natsu. J'avais juste imaginé les contours du personnage, mais Erza a finalement beaucoup évolué, fidèle à l'adage de mon éditeur, jusqu'à devenir l'un des personnages les plus populaires de la série.

Tous les mangas qui paraissent à un rythme hebdomadaire se construisent au fur et à mesure, avec des idées qui viennent "après coup". Néanmoins, faire en sorte que cela ne se voie pas, c'est précisément la mission du professionnel...

Titre original :
FAIRY TAIL, vol. 60

First published in Japan in 2017
by Kodansha Ltd., Tokyo.
Publication rights for this French edition
arranged through Kodansha Ltd., Tokyo.

Traduction du japonais : Thibaud Desbief
Adaptation graphique : Sébastien Douaud
Maquette de couverture : Hervé Hauboldt
Suivi éditorial : Matthieu Barbarit
Responsable éditorial : Mehdi Benrabah

Édition française
2017 Pika Édition
ISBN : 978-2-8116-3743-9
ISSN : 2100-2932
Dépôt légal : novembre 2017

Achevé d'imprimer en Italie
par Grafica Veneta en novembre 2018

Pika Édition s'engage pour l'environnement en
réduisant l'empreinte carbone de ses livres.
Rendez-vous sur www.pika-durable.fr

PiKa
EDITION
shônen

DE HIRO MASHIMA

LES ORIGINES DE LA GUILDE ENFIN RÉVÉLÉES !

Mavis vit avec son amie Zera sur l'île de Tenrô. Petite fille naïve, passionnée par les livres, elle rêve de voir un jour des fées. En l'an X686, sa rencontre avec des chasseurs de trésors venus sur l'île va bouleverser son destin ! Au fil des aventures et des séparations, elle découvrira toutes les facettes de la vie et prendra une grande décision...

HISTOIRE COMPLÈTE EN 1 VOLUME.

Lire un extrait sur www.pika.fr/FairyTailZero

TOUT L'UNIVERS DE FAIRY TAIL SUR WWW.PIKA.FR/UNIVERSFAIRYTAIL